IRISH POETS

Seán Ó Ríordáin

Gréagóir Ó Dúill

Nuala Ní Dhomhnaill

Máirtín Ó Direáin

Cathal Ó Searcaigh

Acknowledgements

'An Peaca' and 'Oileán agus Oileán Eile' by Seán Ó Ríordáin, reproduced by kind permission of Sáirséal Ó Marcaigh Teoranta.

'I gCuimhne 75,000 Éireannach' and 'One for Sorrow' by Gréagóir Ó Dúill, reproduced by kind permission of the author.

'Cuimhne an Domhnaigh', 'An tEarrach Thiar' and 'Blianta an Chogaidh' by Máirtín Ó Direáin, reproduced by kind permission of An Clóchomhar.

'Caoradóir' and 'Súile Shuibhne' by Cathal Ó Searcaigh, reproduced by kind permission of Cló Iar-Chonnachta.

'Oileán' and 'An tSeanbhean Bhocht' are taken from *Pharaoh's Daughter* (1990), by Nuala Ní Dhomhnaill, reproduced by kind permission of the author and The Gallery Press, Loughcrew, Oldcastle, County Meath, Ireland.

'Leaba Shíoda' by Nuala Ní Dhomhnaill, reproduced by kind permission of the author care of The Gallery Press.

Colourpoint Books
Colourpoint House
Jubilee Business Park
21 Jubilee Road
Newtownards
County Down
Northern Ireland
BT23 4YH

Tel: 028 9182 6339
Fax: 028 9182 1900
E-mail: info@colourpoint.co.uk
Web site: www.colourpoint.co.uk

CONTENTS

Seán Ó Ríordáin   5

An Peaca   6

Oileán agus Oileán Eile   7

Gréagóir Ó Dúill   11

I gCuimhne 75,000 Éireannach   12

One for Sorrow   13

Nuala Ní Dhomhnaill   15

Oileán   17

Leaba Shíoda   18

An tSeanbhean Bhocht   20

Máirtín Ó Direáin   23

Cuimhne an Domhnaigh   24

An tEarrach Thiar   25

Blianta an Chogaidh   26

Cathal Ó Searcaigh   27

Caoradóir   29

Súile Shuibhne   31

Seán Ó Ríordáin

An Peaca

Oileán agus Oileán Eile

An Peaca

Thit réal na gealaí i scamallsparán,
    Go mall, mall, faitíosach,
Mar eala ag cuimilt an locha sa tsnámh,
    Is do chuinil go cneasta an oíche.

Do scéigh sí go tóin an scamallsparáin –
    Anam dea-chumtha na hoíche –
Mar chomhfhuaim ag titim go ceolmhar trí dhán,
    Is do chritheas le faucht na filíochta.

Ach teilgeadh daoscarscread míchumtha ard
    'Na urchar trí ghloine na hoíche   10
Is cheapas go bhfaca na blúiríní fáin
    Fé chrúbaibh an mhasla san aoileach.

D'fhéachas arís ar lámhscríbhinn an dáin,
    Ach prós bhí an áit na filíochta –
An ré is na scamaill is an spéir mar ba ghnáth –
    Mar bhí peaca ar anam na hoíche.

Oileán agus Oileán Eile

I: Roimh Dhul ar Oileán Bharra Naofa

Tá Sasanach ag iascaireacht sa loch,
Tá an fhírinne rólom ar an oileán,
Ach raghad i measc na gcuimhne agus na gcloch,
Is nífead le mórurraim mo dhá láimh.

Raghad anonn is éistfead san oileán,
Éistfead seal le smaointe smeara naomh
A thiomnaigh Barra Naofa don oileán,
Éistfead leo in inchinn an aeir.

II: Amhras iar nDul ar an Oileán

A Bharra, is aoibhinn liom aoibhneas do thí
Agus caraimse áitreabh do smaointe,   10
Ach ní feas dom an uaitse na smaointe airím
Mar tá daoscar ar iostas im intinn.

Le bréithre gan bhrí,
Le bodhaire na mblain,
Thuirling clúmh liath
Ar mo smaointe.

Mar chloich a cúnlaíodh
Do hadhlacadh iad,
Do truailleadh a gclaíomh
Im intinn.   20

Naoimh is leanaí
A bhogann clúmh liath
De cheannaithe Chríost
Nó de smaointe.

Tá an t-aer mar mhéanfuíoch
Ar m'anam 'na luí,
Bhfuil Barra sa ghaoith
Am líonadh?

[Continued

Tá Barra is na naoimh
Na cianta sa chria
Is dalladh púicín
Ad bhíogadh.

Tá tuirse im chroí
Den bhfocal gan draíocht,
Bíodh dalladh nó diabhal
Am shiabhradh.

III: An Bíogadh

Tá ráflaí naomh san aer máguaird
Is an ghaoth ag fuáil tríd,
Tá paidir sheanda im chuimhne i léig,
Is mo smaointe á séideadh arís.

Anseo ar bhuaile smaointe naomh
Do léim chugham samhail nua,
Do chuala tarcaisne don saol
I nguth an éin bhí 'clagar ceoil.

An ceol a raid sé leis an mbith
Dob shin oileán an éin,
Níl éinne beo nach bhfuair oileán,
Is trua a chás má thréig.

IV: Oileán Gach Éinne

I bhfírinne na haigne
Tá oileán séin,
Is tusa tá ar marthain ann
Is triall fád dhéin,
Ná bíodh ort aon chritheagla
Id láthair féin,
Cé go loiscfidh sé id bheatha tú,
Do thusa féin,
Mar níl ionat ach eascaine
A dúirt an saol,
Níl ionat ach cabaireacht

30

40

50

Ó bhéal go béal: 60
Cé gur cumadh tú id phaidir gheal
Ar bhéal Mhic Dé
Do scoiltis-se do thusa ceart
Le dúil sa tsaol,
Ach is paidir fós an tusa sin
Ar oileán séin,
A fhan go ciúin ag cogarnach
Ar bheolaibh Dé
Nuair do rincis-se go macnasach
Ar ghob an tsaoil.   70

V: Oileán Bharra Noafa

Tráthnóna ceathach sa Ghuagán,
Ceo ag creimeadh faille,
Do chuardaíos comhartha ar oileán,
Do fuaireas é i gcrannaibh.

Im thimpeall d'eascair crainn chasfháis,
Dob achrannach a leagan
Do lúbadar 'ngach uile aird
Mar chorp á dhó ina bheatha.

Mar scríbhinn breacaithe ar phár
Is scríbhinn eile trasna air   80
Chonac geanc is glún is cruit is spág,
Fá dheoidh chonac dealramh Gandhi.

A Bharra, chím i lúib na ngéag
Gur troideadh comhrac aonair
Idir thusa Dé is tusa an tsaoil
Anseo id gheanclainn naofa.

Nuair ghlanann ceo na feola léi
Tig áilleacht ait i rocaibh,
Is féidir cló a mheas ann féin
Sa tsolas cnámhach folamh.   90

[Continued

Tá sult na saoirse i gcló na gcrann
Is grá don tsúil a fiaradh,
Tá dúil sa rud tá casta cam
Is gráin don bhog is don díreach.

Is fireann scríbhinn seo na gcrann,
Níl cíoch ná cuar in aon bhall,
Tá manach scríte abhus is thall,
Sé Barra lúb na ngéag seo.

A insint féin ar Fhlaitheas Dé,
Ag sin oileán gach éinne,   100
An Críost atá ina fhuil ag scéith
An casadh tá ina bhréithre.

Is macasamhail dá oileán féin
Oileán seo Bharra Naofa,
An Críost a bhí ina fhuil ag scéith
An phúcaíocht ait i ngéagaibh.

VI: An Sasanach agus Mé Féin

Tá Sasanach ag iascaireacht sa loch
Is measaimse gur beag leis an t-oileán,
Ach ní feasach dom nach iascaireacht ar loch
Don Sasanach bheith ionraic ar oileán.   110

Raghad anonn is fágfad an t-oileán,
Fágfad slán le smaointe smeara naomh,
Raghad ag ceilt na fírinne mar chách,
Raghad anonn ag cabaireacht sa tsaol.

IRISH POETS

Gréagóir Ó Dúill

I gCuimhne 75,000 Éireannach

One for Sorrow

I gCuimhne 75,000 Éireannach

Amhail francaigh as draenacha an bhaile sinn, tús tuile,
Miasma mhustaird ag líonadh aníos as na trínsí,
Oifigigh óga ár ngríosadh nocht ar aghaidh
Faoi mhiotal mire sliogán is meaisínghunnaí.

Málaí aimhréiteacha *khaki* i bpoll,
Éadaí ar crochadh de shreanga an Luain,
Screadaíl bhuile mar fhuil airtéire ag pumpáil de stumpa
(Ach gur faide a mhaireann) –
Bog róbhog ár gcraiceann geal faoi éigean cruach.

Is iadsan a thiocfaidh amárach, le gás lofa scamhán, masc is   10
baignéid.
Ní dócha go stopfaidh an tsreang iad fá raon raidhfle.
Ná fiafraigh an gá, an cóir –
Justitia a cheapann na ginearáil, an bhitseach chaoch.

Maidin amárach, tréigim an láthair bhradach seo.
Ag na francaigh a fhágaim corp m'oifigigh óig,
Béal úr ina éadan le hamadáin a mhealladh,
Tríú súil ar an chlár mhín le raon is uillinn a thomhais go beacht,
Ábhar a choirp do tine Chásca, don aiséirí.

Fanfad anseo ar an Mhór-roinn   20
Caillte ach beo,
Bodhar ar chloig an oileáin thiar.
Mar fhrancach a mhairfeas mé.

One for Sorrow

in memoriam Máire Doyle

Lasadh aghaidh mo mháthar, aoibh uirthi – an gáire, an chaint ard sholasta
Nár mhinic aici, b'in a bhíodh aici
Agus m'aint ar cuairt aneas, ina hearrach faoi bhláth.
Chuirtí ó dhoras mé, tráth na rún
Á malartú ina dtoitíní cogarnaíle, brioscaí le sásair fágtha,
An dá cheann crom i dtreo a chéile agus gan slí ann dom.
Shuínn ina hucht, ucht gan boladh bainne,
Is b'ionann dath ár ngruaige. Barr a méire
Le barr mo shróine, gháireadh sí faoi fhiaradh mo shúl
Go gcuireadh mo mháthair stop leis sin mar amaidí.   10
Theannadh a géaga, cuan mo chodlata de ghéaga, thart orm
Agus chimlínn, de bharr méire,
Fionnadh fineáilte chraiceann bhreicneach a sciathán faoin ghréin.
Ba sheolta a sciortaí geala agus ise ina crann,
Ina crann ceoil, fómhar duilleoga ag imeacht ina stoirm nótaí,
Mo chealgadh de shiosarnach duilliúir,
De ghaoth chumhra análach i mo ghruaig,
Nó mise ar a glúin, a dhá sciathán thart orm, a méara ag dúiseacht an
  phianó,
Ag cur an gheal ina dhubh, an dubh ina gheal, mo mháthair ag ceol léi
Agus leanbh ar a gualainn, ceirt ina láimh, naprún faoina coim ard,   20
Gáire ar a béal.
Uilig ag imeacht.
Rinne snag breac suirbhéireacht fhuar, shocraigh,
Thóg cipí marbha, bhris cipí beo, agus d'fheistigh
Meall éadrom dubh in airde ar an bheith.
Dhúbail siad, a nglórtha ina gcallán meaige,
Chuir an crann ó nádúir,
Ceo bog na nduilleog ag ceilt an phoill a d'fhás.
Ní hé an cuí is rogha, i gcónaí, ná ní gá gur bocht
An aimhréidhe. Ach d'imir ál na snag a gcluichí garbha fud an bhaill,   30
Dubh ina gheal, geal ina dhubh, stríoca den chorcra eaglasta.
Theith mionéin, chúlaigh cat, rinneadh ár ar fheithidí

[Continued

Agus ba shnagach síoraí siollaí an Morse, gan teanga cheangail,
Barraíocht de na nótaí briste, casúir bheaga veilvit imithe ó mhaith;
Níl códleabhar agam do chomharthaí láimhe na ciúinphráinne.

Liostaí le ballaí, rialacha na cistine i ndearmad,
Ba í an tolg a nead, ba bheag a chorraigh sí, ná níor leor a d'ith.
A súile ba uibheacha smólaigh, anois ina ngliogair.
D'aipigh an duilliúr, cheil an duibhe sin a neadaigh,
An dubh taobh thiar den gheal.   40
D'fhág dul faoi a haigne rian den óige shimplí sin
Ba chuimhin liom ó ba mise a bhí naíonda.
Tá dubh, dorcha, tá agus cuireann glórtha thíos staighre le cumha na hoíche.
Luasc an crann agus bhris an géag agus leagadh cliabh an naíonáin.
Ach a Mháire, a chuid, is briathartha dod ainm go fóill
I ngramadach na gcluichí focal sin a d'imrímis
Is níor tháinig críoch go fóill ar bheith, ná freagra ar thomhas:
Tú a tháinig isteach ar ghuaillí daoine
Is a chuaigh amach chomh mín le síoda.
Líonann fonn mall mo chuimhne, fuálaim na línte –   50
Bíodh braonta fola ar an snáth, mo ghreamanna mírialta
Cuirim an dubh ina gheal, an geal ina dhubh,
Ceanglaím na duillí ina leabhar,
Déanaim comhaireamh ar na fáinní,
Aithním ar a bhféile na blianta méithe,
Luascadh crainn agus suantraí íseal.

Nuala Ní Dhomhnaill

Oileán

Leaba Shíoda

An tSeanbhean Bhocht

Oileán

Oileán is ea do chorp
i lár na mara móire.
Tá do ghéaga spréite ar bhraillín
gléigeal os farraige faoileán.

Toibreacha fíoruisce iad t'uisí
tá íochtar fola orthu is uachta meala.
Thabharfaidís fuarán dom
i lár mo bheirfin
is deoch slánaithe
sa bhfiabhras.   10

Tá do dhá shúil
mar locha sléibhe
lá breá Lúnasa
nuair a bhíonn an spéir
ag glinniúint sna huiscí.
Giolcaigh scuabacha iad t'fhabhraí
ag fás faoina gciumhais.

Is dá mbeadh agam báidín
chun teacht faoi do dhéin,
báidín fionndruine,   20
gan barrchleite amach uirthi
ná bunchleite isteach uirthi
ach aon chleite amháin
droimeann dearg
ag déanamh ceoil
dom fhéin ar bord,

thógfainn suas
na seolta boga bána
bogóideacha; threabhfainn
trí fharraigí arda   30
is thiocfainn chughat
mar a luíonn tú
uaigneach, iathghlas,
oileánach.

Leaba Shíoda

Do chóireoinn leaba duit
i Leaba Shíoda
sa bhféar ard
faoi iomrascáil na gcrann
is bheadh do chraiceann ann
mar shíoda ar shíoda
sa doircheacht
am lonnaithe na leamhan.

Craiceann a shníonn
go gléineach thar do ghéaga   10
mar bhainne á dháil as crúiscíní
am lóin
is tréad gabhar ag gabháil thar chnocáin
do chuid gruaige
cnocáin ar a bhfuil faillte arda
is dhá ghleann atá domhain.

Is bheadh do bheola taise
ar mhilseacht shiúcra
tráthnóna is sinn ag spaisteoireacht
cois abhann   20
is na gaotha meala
ag séideadh thar an Sionna
is na fiúisí ag beannú duit
ceann ar cheann.

Na fiúisí ag ísliú
a gceanna maorga
ag umhlú síos don áilleacht
os a gcomhair
is do phriocfainn péire acu
mar shiogairlíní   30
is do mhaiseoinn do chluasa
mar bhrídeog.

Ó, chóireoinn leaba duit
i Leaba Shíoda
le hamhscarnach an lae
i ndeireadh thall
is ba mhór an pléisiúr dúinn
bheith géaga ar ghéaga
ag iomrascáil
am lonnaithe na leamhan.   40

An tSeanbhean Bhocht

Féachann an tseanbhean orm le neamhshuim is uabhar
as a súile tréigthe atá ar dhath na mbugha
ag cuimhneamh siar ar laethanta geala a hóige,
gur thrua go raibh gach aon ní chomh buacach san aimsir ollfhoirfe.
Canathaobh an uair úd nuair a chan éan
gurb í an neachtaingeal a bhí i gcónaí ann?
Canathaobh fadó nuair a thug a leannáin chuici
fleascanna bláth gurb iad na cinn *orchidé en fleur*
ab fhearr a fuaireadar? Nó b'fhéidir ar laethanta fuara
sailchuacha cumhra. I gcónaí bhíodh buidéal seaimpéin   10
ar an gclár i mbuicéad ard leac oighre, bhíodh lása Charraig Mhachaire Rois
ar chaola a láimhe is bhíodh diamaintí ar sileadh
óna cluasa, muince péarlaí casta seacht n-uaire thart faoina bráid,
is ar a méireanna bhíodh fáinní luachmhara, go háirithe
ceann gur chuimhin léi a bheith an-speisialta – ceann
ar a raibh smeargaidí chomh mór le húll do phíopáin.

Féachann sí orm anois leis an dtruamhéil fhuar
a chífeá go minic i súile a bhí tráth óg is breá,
ag meabhrú de féin i m'fhianaise, leath os íseal
is leath os ard, gur mhéanar don té a fuair amharc   20
ar an gcéad lá a shiúil sí go mómharach síos an phromanáid
mar ríon faoina parasól; ar na céadta céadta gaiscíoch
is fear breá a chuaigh le saighdiúireacht in airm na Breataine
nó a theith leo ar bord loinge go dtí na tíortha teo –
aon ní ach éaló ós na saigheada éagóra
a theilgeadh sí orthu de shíor faoina fabhraí tiubha.

Caoineann sí, ag monabhar faoina hanáil go bog,
an tréimhse fhada, achar bliana is lae,
ar thug sí an svae léithi mar bhanríon na bplainéad:
na leanaí a bheirtí nuair a théadh sí faoi loch   30
i ndaigh uisce i lár na cistineach,
múchadh nó bá an chríoch bháis a bhíodh orthu
is dob é an chroch a bhí i ndán do gach n-aon
a raibh de mhí-ádh air teacht ar an saol

nuair a bhí lúb na téide tarraigthe ar a muineál.
Is iad siúd a chéad chonaic solas an lae
nuair a léimeadh sí sa tine gurb é a ndeireadh
a bheith dóite is loiscithe le teann grá di féin,
chun gur thit na céadta ina sraithibh deas is clé
ní le grá bán nó breac ná grá pósta, mo léir!   40
ach an grá dubh is an manglam dicé a leanann é.

Anois tá sí cancarach, ag tabhairt amach dom
ar dalladh. Tá sí bréan bodhar bodaráilte
ó bheith suite ina cathaoir rotha. Gan faic
na ngrást le déanamh aici ach a bheith ag féachaint
ar na ceithre fallaí. Rud eile,
níl na cailíní aimsire faoi mar a bhídís
cheana. Fágann siad rianta smeartha
ar an *antimacassar* lena méireanta salacha.
Fuair sí an píosa bróidnéireachta sin ó bhean   50
ambasadóra is bheadh an-dochma uirthi é a scaoileadh
chun siúil nó, tré dhearmhad, ligint dóibh siúd
é a mhilleadh.

Tugaim faoi ndeara nach nguíonn sí
sonuachar maith chucu nuair a thagann siad
isteach leis an dtrádaire líonta síos go talamh
le gréithre póirseiléine, taephota airgid
is ceapairí cúcamair. Táimse ar thaobh na gcailíní,
is deirim léi cén dochar, go bhfuil siad fós óg,
is nach féidir ceann críonna a chur ar cholainn,   60
nach dtagann ciall roimh aois is gur mó craiceann...
is gur ag dul i mínithe is i mbréagaí atá gach dream
dá dtagann – gach seanrá a thagann isteach i mo chloigeann,
aon rud ach an tseanbhean bhaoth seo a choimeád socair.

IRISH POETS

Máirtín Ó Direáin

Cuimhne an Domhnaigh

An tEarrach Thiar

Blianta an Chogaidh

Cuimhne an Domhnaigh

Chím grian an Domhnaigh ag taitneamh
Anuas ar ghnúis an talaimh
San oileán rúin tráthnóna;
Mórchuid cloch is gannchuid cré
Sin é teist an sceirdoileáin,
Dúthaigh dhearóil mo dhaoine.

Chím mar chaith an chloch gach fear,
Mar lioc ina cló féin é,
Is chím an dream a thréig go héag
Cloch is cré is dúthaigh dhearóil,   10
Is chímse fós gach máthair faoi chás
Ag ceapadh a háil le dán a cuimhne.

An tEarrach Thiar

Fear ag glanadh cré
De ghimséan spáide
Sa gciúnas séimh
I mbrothall lae:
       Binn an fhuaim
       San Earrach thiar.

Fear ag caitheamh
Cliabh dá dhroim,
Is an fheamainn dhearg
Ag lonrú
I dtaitneamh gréine
Ar dhuirling bhán:
       Niamhrach an radharc
       San Earrach thiar.

Mná i locháin
In íochtar díthrá,
A gcótaí craptha,
Scáilí thíos fúthu:
       Támhradharc sítheach
       San Earrach thiar.

Tollbhuillí fanna
Ag maidí rámha,
Currach lán éisc
Ag teacht chun cladaigh
Ar órmhuir mhall
I ndeireadh lae;
       San Earrach thiar.

10

20

Blianta an Chogaidh

Ní sinne na daoine céanna
A dhiúgadh na cáirt,
Is a chuireadh fál cainte
Idir sinn is ár gcrá.

Thuig fear amháin na mná,
Is é a thuig a gcluain tharr barr,
An bhantracht go léir a thuig
I gcrot aon mhná nach raibh dílis,
Is sinn ar thaobh an dídin
Den phéin is den pháis.   10

D'fhaighimis an seic, an giota páir,
An t-ara malairteach fáin,
Ar an saothar aimrid gan aird,
Is théimis chun an ósta ghnáith.

Níor chuieamar is níor bhaineamar
Is níor thógamar fál go hard,
Ach fál filíochta is argóna,
Idir sinn is an smaoineamh
Go rabhamar silte gan sinsear,
Go rabhamar stoite gan mhuintir,   20
Go rabhamar gan ghaisce gan ghrá
Gan aisce don fháistin
Ach scríbhinn i gcomhad.

Is réab gach éinne againn
Cuing is aithne ina aigne;
Aicme a bhí gan fréamha in i dtalamh,
Dream narbh fhiú orthu cuing a cheangal,
Drong nár rod leo a n-athardha.

Cathal Ó Searcaigh

Caoradóir

Súile Shuibhne

Caoradóir

Do Ghréagóir Ó Dúill

Ina chrága cranracha, ina shiúl spadánta
tá trí scór bliain de chruacht agus de chruatan,
de choraíocht bhuan le talamh tíoránta
an tsléibhe, ansiúd os cionn Loch Altáin.
Talamh gortach gann a d'ól le blianta
allas a dhíograise is a d'fhág é chomh spíonta,
chomh lomchnámhach le stumpán caoráin.
Agus na mianta a bhláthaigh i bhfearann a chroí
shearg siad go tapaidh de dhíobháil solais
i bProchlais iargúlta i mbéal an uaignis   10
san áit nach dtig aoibh ar an spéir ach go hannamh
is nach ndéanann an ghrian ach corrdhraothadh.

Ansiúd faoi scáth arrachtach an tsléibhe
níor aoibhnigh bean é le fuiseoga a póg
is níor neadaigh súáilcí an ghrá
aon lá riamh i bhfiántas a chléibhe.
Tá siúl an tsléibhe ag a thréad beag caorach
ó abhainn Mhín an Mhadaidh go barr na Beithí
ach tá sé teanntaithe é féin ó bhí sé ina stócach
ag na claíocha críche atá thart air go bagrach   20
ach amháin nuair bhíonn braon beag imithe chun a chinn
ansin éalaíonn a smaointe as raon a intleachta
mar chaoirigh siúlacha in orcas an gheimhridh
ag cuartú féaraigh i ndiamhra an tsléibhe.

Ansiúd is minic creathnú an bháis ina chroí
nuair a tí sé cnáfairt chnámh ina shlí
nó a chuid madadh ag coscairt conablaigh
sna cnoic adaí atá lán de chiúnas agus de chaoirigh.
Agus dála gheir rósta na muiceola is na feola
a bheir tinneas bhéal an ghoile dó gach lá   30
luíonn an dorchadas go trom ar a aigne –

[Continued

an dorchadas a ramhraíonn anuas ón Achla
le teacht na hoíche is a líonann é le heagla.

Ansiúd san oíche ina chisteanach lom leacach,
cruptha ina chathaoir os comhair na tineadh,
bíonn sé ag humáil is ag hútháil faoina anáil
leis an uaigneas a choinneáil ó dhoras, an t-uafás
a bhíonn ag drannadh leis as an dorchadas
is a shleamhnódh chuige isteach ach faill a fháil   40
le creach a dhéanamh ina chloigeann,
go díreach mar a ní na luchógaí móra
crúbáil is creimseáil os a chionn ar an tsíleáil.

Fadó bhíodh a chroí ag bualadh le bród
nuair a bhíodh an Druma Mór ag teacht ar an fhód
go bríomhar buacach, Lá Fhéil' Pádraig ar an Fhál Charrach.
Oícheantaí anois agus é ina luí ar a leabaidh
cluineann sé druma maolaithe e sheanchroí
ag gabháil in ísle brí agus ag éirí stadach...

Súile Shuibhne

Tá mé ag tarraingt ar bharr na Bealtaine
go dúchroíoch i ndorchacht na hoíche
ag ardú malacha i m'aistear is i m'aigne
ag cur in aghaidh bristeacha borba gaoithe.

B'ise mo mhaoinín, b'ise mo Ghort an Choirce
mise a thug a cuid fiántais chun míntíreachais
ach tá a claonta dúchais ag teacht ar ais arís
anocht bhí súile buí i ngort na seirce.

Tím Véineas ansiúd os cionn Dhún Lúiche
ag caochadh anuas lena súile striapaí   10
agus ar ucht na Mucaise siúd cíoch na gealaí
ag gobadh as gúna dubh na hoíche.

Idir dólas agus dóchas, dhá thine Bhealtaine,
caolaím d'aon rúid bhuile mar leathdhuine.
Tá soilse an Ghleanna ag crith os mo choinne –
faoi mhalaí na gcnoc sin iad súile Shuibhne.